D0854593

Margot Scheffold

Prinzessinnengeschichten

Illustrationen von Anette Bley

Der Umwelt zuliebe ist dieses Buch
auf chlorfrei gebleichtem Papier gedruckt.

ISBN 978-3-7855-5857-7
1. Auflage 2007

Umschlagillustration: Anette Bley
Reihenlogo: Angelika Stubner
Printed in Germany (017)

www.loewe-verlag.de

Inhalt

Samira und das Morgenrot

Prinzessin Samira
gähnt in ihre Kissen.
Viel zu dunkel, um aufzustehen!
Sie bleibt einfach
noch eine Weile liegen.
Beim Frühstück fragt sie
ihren Vater, den Sultan:
„Was ist nur mit dem Morgenrot?
Es wird heute gar nicht hell!“

Der Sultan
legt die Stirn in Falten.
„Ich weiß es nicht, Samira-Kind“,
antwortet er dann sorgenvoll.
„Die Nacht
will einfach nicht vergehen.“
Samira denkt lange nach.
Dann schleicht sie leise fort.

Mit ihrem Zauberteppich
schwebt sie in den Himmel.
Die Sterne glitzern.
Der Mond
taucht Palmen und Paläste
in ein silbernes Licht.

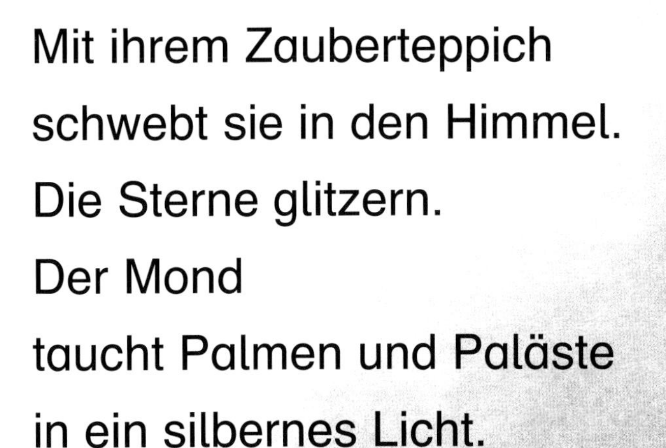

Samira fliegt zum Horizont.
Ein rosaroter Schimmer
zieht sie magisch an.
Hinter einer Düne
sitzt ein Mädchen
und reibt sich den Fuß.

Rundherum ist alles rosa.
„Wer bist denn du?“,
fragt Samira ganz erstaunt.
„Aurora“,
sagt das Mädchen und weint.
„Ich bin die Fee des Morgenrots.
Wenn ich über den Wolken tanze,
ist die Nacht vorbei.

Doch mein Fuß tut so weh,
ich kann mich kaum bewegen."
„Komm mit mir ins Schloss",
lädt Samira das Mädchen ein.
„Wir haben einen guten Arzt."
Sie hilft Aurora auf den Teppich
und fliegt mit ihr zurück.
Der Sultan sieht sie schon
von Weitem,
denn ein rosafarbenes Licht
eilt ihnen voraus.

Als die beiden landen,
empfängt sie der ganze Hof.
Der Leibarzt des Sultans
untersucht Auroras Knöchel:
„In ein paar Tagen
ist alles wieder gut!“
Und schon eine Woche später
werden die Menschen
wieder vom Morgenrot geweckt.
Aber nur Prinzessin Samira
weiß, woher es kommt …

Die doppelte Cindy

Cinderella will Prinzessin sein!
Ihr langes blondes Haar
trägt sie am liebsten offen.
Sie liebt Blümchenkleider
und träumt
von einem Schloss aus Gold.

Eines Tages kommt
ein fremdes Mädchen
in ihre Klasse.
Es heißt Ermesinde.

„Nennt mich Cindy“,
sagt Ermesinde und lacht.
Alle starren sie an.
Denn nicht nur der Name
kommt ihnen bekannt vor.

Auch ihr Gesicht
gleicht dem von Cinderella
haargenau.
Doch Ermesinde trägt
Reiterstiefel, Jeans und Pulli.
„Mein Vater ist ein Graf,
und wir wohnen
in einem Schloss auf dem Land“,
erklärt Ermesinde.

Cinderella glaubt es kaum:
Vor ihr steht eine Prinzessin
und sieht genauso aus wie sie!
„Komm, wir tauschen Kleider!“,
beschließen die zwei Cindys
schon nach kurzer Zeit.
Cinderella nimmt
die Reiterstiefel und die Jeans,
Ermesinde steigt
ins Blümchenkleid.

Nach der Schule
geht Ermesinde
in Mamas kleine Wohnung,
und Cinderella wird
ins Landhaus gefahren.
Doch das goldene Schloss
ist aus kaltem Stein,
und schon bald
vermisst Cindy ihre Mama.

Am nächsten Tag
beraten sich die zwei Freundinnen.
„Ich bin lieber ich selbst“,
beschließt jede für sich.
Trotzdem sind sie oft zusammen.
„Da kommt die doppelte Cindy“,
sagt dann jeder,
und die beiden haben
doppelt Spaß dabei.

Irina, die Eisprinzessin

Im gläsernen Kristallpalast,
weit, weit hinter Nowosibirsk,
lebte vor langer Zeit
Irina, die Eisprinzessin.
Am liebsten tanzte sie
wie eine Ballerina.

Wenn sie auf Zehenspitzen
um die eigene Achse wirbelte,
flogen silberne Funken,
und sie versprühte
silberblau glitzerndes Licht.
Alle ihre Freunde,
die Rentiere und Robben,
die Schlittenhunde
und Schneehühner,
schauten verzaubert zu.

Die Schneeflöckchen
hielten den Atem an,
wenn Irina das Eis erhellte.
Auch Torge, der kleine Troll,
rieb sich die Augen.

Eines Tages kamen Menschen
ins Reich der Eisprinzessin.
Sie machten Jagd
auf Irinas Freunde, die Robben.
„Du musst uns helfen!“,
riefen die Robben verzweifelt.
„Wir sind in großer Gefahr!“

Das Schiff der fremden Männer
kam immer näher.
Sie wollten unter dem Eis
nach Robben suchen.
Da begann Irina zu tanzen
und zu tanzen
wie noch nie zuvor.

Viele kleine Silbersterne
regneten auf die Jäger herab
und blendeten ihre Augen.
Die Männer wendeten das Schiff
und fuhren zurück nach Hause.

Seitdem sind die Robben
wieder froh.
Die Menschen aber
träumen von der Eisprinzessin.
Und viele kleine Mädchen
lernen tanzen wie sie.

Pfirsichblüte hat Geburtstag

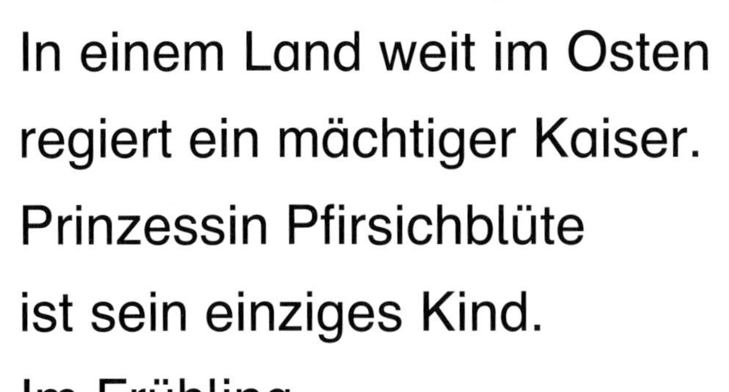

In einem Land weit im Osten
regiert ein mächtiger Kaiser.
Prinzessin Pfirsichblüte
ist sein einziges Kind.
Im Frühling
feiert das ganze Volk
das Pfirsichblütenfest.

Alle sind gut gelaunt.
Doch Prinzessin Pfirsichblüte
ist ein bisschen traurig:
Bald kommt ihr Geburtstag,
und wieder ist sie allein.
Natürlich gibt es ein Fest,
und das ganze Volk wird jubeln.
Doch zum Spielen
hat Pfirsichblüte keinen.

Aber in diesem Jahr
soll alles anders werden!
Am Pfirsichblütenfest
lässt die Prinzessin
vom höchsten Turm im Schloss
Blüten auf die Menschen regnen.
„Bravo!“, rufen die Leute.

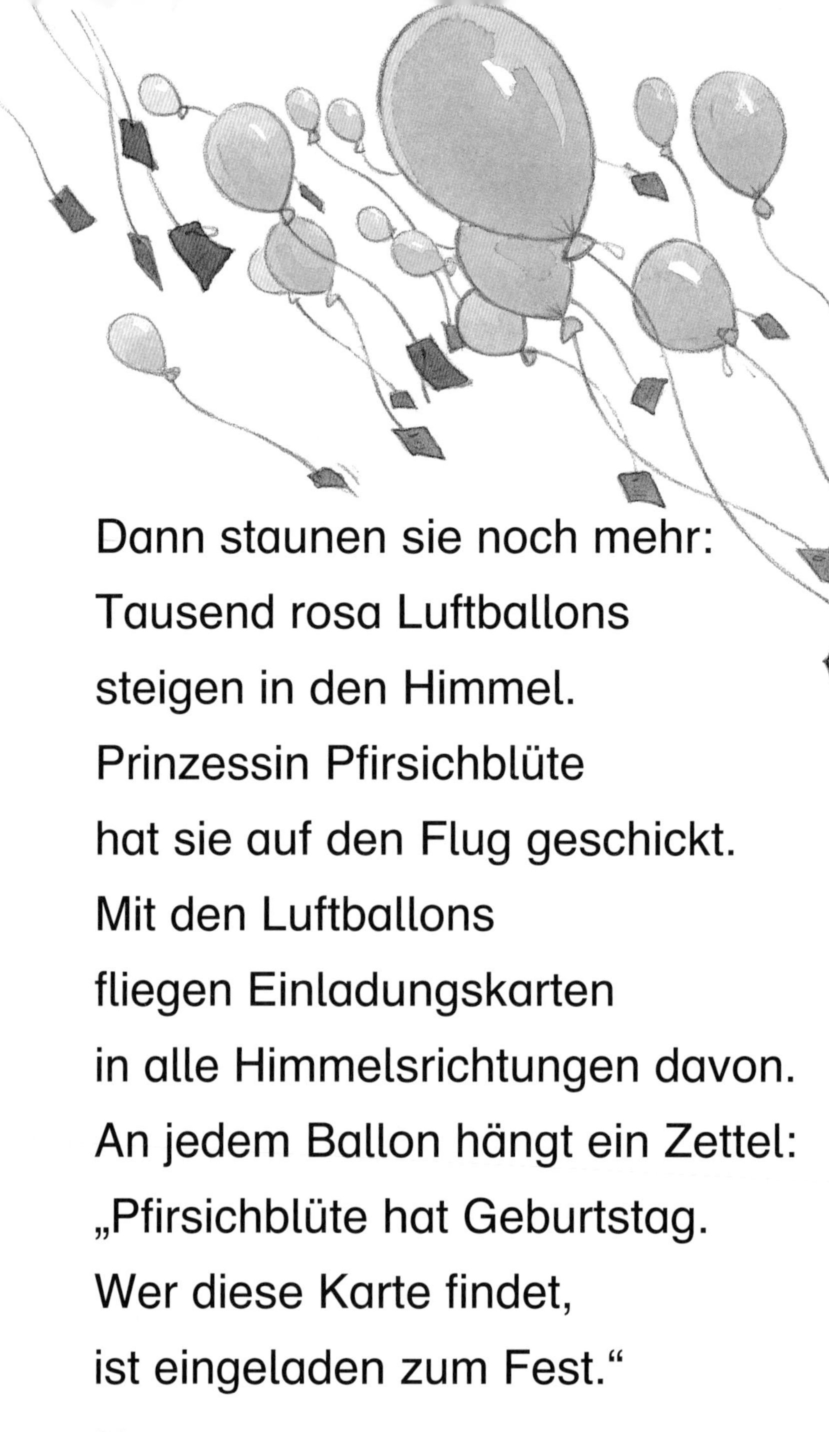

Dann staunen sie noch mehr:
Tausend rosa Luftballons
steigen in den Himmel.
Prinzessin Pfirsichblüte
hat sie auf den Flug geschickt.
Mit den Luftballons
fliegen Einladungskarten
in alle Himmelsrichtungen davon.
An jedem Ballon hängt ein Zettel:
„Pfirsichblüte hat Geburtstag.
Wer diese Karte findet,
ist eingeladen zum Fest.“

Und schon eine Woche danach
kommen Kinder
aus allen Teilen der Welt
mit kunterbunten Luftballons.
„Für Prinzessin Pfirsichblüte!“,
rufen sie
und drängen zum Schloss.
Pfirsichblüte ist sehr glücklich!

Als sie auf den Balkon tritt,
lassen ihre Gäste
die Luftballons steigen.
„Juhu!“, ruft Pfirsichblüte.
„Jetzt wird gefeiert!“
Und tausend Kinder
feiern mit.

Lea die Erste

„Mama!“, quengelt Lea.
„Ich will im Karneval
Prinzessin sein!“
Mama verzieht gelangweilt
das Gesicht und antwortet:

„Prinzessin kann doch jeder.
Ich bin im Karnevalsverein
und möchte was Besonderes.
Geh doch als kleiner Drache,
als Robbenbaby
oder als verrücktes Huhn.
Das ist wenigstens witzig!“

Jetzt verzieht Lea das Gesicht.
„Ich will aber schön sein,
nicht witzig“, beharrt sie
und stampft mit dem Fuß.
Lea geht in ihr Zimmer.

Ein paar Tage später
ist Leas Mutter ganz aufgeregt.
„Lea, Liebling, stell dir vor,
was gestern Abend
im Karnevalsverein
passiert ist!“,
sprudelt ihre Mutter hervor.

„Das Prinzenpaar wurde gewählt,
und ICH bin die Prinzessin –
ich, Ihre Lieblichkeit,
Uschi die Erste!“
„Du?“, staunt Lea.
„Ich denke,
Prinzessin kann jeder!“
„Das ist doch etwas anderes!“,
ruft ihre Mutter aufgebracht.

„Ich bin die
Schirmherrin des Karnevals
und eröffne den Ball.
Beim Umzug stehe ich
auf dem prunkvollsten Wagen
und werfe Bonbons unters Volk.
Ein Schneider
näht mein Prachtgewand
und deines …“

Jetzt strahlt sie
über beide Ohren.
„Dein Kostüm,
liebe Kinderprinzessin,
näht er nämlich gleich mit.
Helau!
Hoch lebe Lea die Erste!“

Prinzessinnenträume

„Gute Nacht, meine Süße“,
flüstert Papa und gibt Tessa
einen Kuss auf die Stirn.
„Schlaf gut, kleine Prinzessin!“
Er klappt das Märchenbuch zu,
macht das Licht aus
und geht aus dem Zimmer.

Kaum ist die Türe zu,
geschehen geheimnisvolle Dinge.
Tessas Kinderzimmer
verwandelt sich
in einen Thronsaal.
Die Möbel werden rosarot
und tragen goldene Kugeln.
Die Tapete bekommt
ein Krönchenmuster.

Prinzessin Tessa thront
auf seidenen Kissen.
„Kammerdiener!“, ruft sie.
„Bring mir eine Erdbeermilch!“
Und schon wird ihr
der Wunsch erfüllt.
Wie im Traum ist das!

Am nächsten Morgen
steht Tessa mürrisch auf.
„Ich will die olle Hose nicht“,
mault sie.
„Und die dicken Stiefel
ziehe ich erst recht nicht an!

Ich will ein Kleid
und Lackschuhe.
Schließlich bin ich Prinzessin!“
Papa lacht, und Mama staunt.
Da ruft Tessa
nach dem Kammerdiener:
„Bring mir eine Erdbeermilch!“
Dabei guckt sie Papa an.
Der verschluckt sich
an seinem Kaffee.

Er sagt:
„Du verwechselst mich.
Ich bin dein Vater,
der König!“
Mama lacht und sagt:
„Die Diener haben Urlaub.
Aber gleich
kommt die Gouvernante.
Sie bringt dir Anstand
und Benehmen bei.

Höflichkeit und Vornehmsein,
Knicks und Verbeugung
stehen auf dem Stundenplan."
Da denkt Tessa nach und meint:
„Ich glaube, ich will doch nicht
Prinzessin sein!"

Zu Papa sagt sie:
„Heute Abend kannst du mir
was anderes vorlesen:
von Räubern!
Rittern!
Piraten!
Oder eine Abenteuergeschichte –
das ist bestimmt viel spannender.“

Drei Königstöchter

Drei kleine Töchter
hatte der große König:
Chiara, Mara und Sarah.
Alle drei waren
fröhlich und hübsch,
klug und nett.
Chiara war die Älteste.

Sie sollte einmal
Königin werden.
Deshalb nannte sie jeder
„Königstochter Chiara“.
Sarah war die Jüngste.
Alle fanden sie süß.
Und alle sagten
„Prinzesschen Sarah“ zu ihr.

Und Mara?
Sie war die Mittlere,
und immer stand sie
im Schatten ihrer Schwestern.
Mara hatte das satt.
Sie wollte auch
etwas Besonderes sein.
Mara dachte:
„Wenn eines Tages
ein Drache Chiara entführt,
dann bin ICH die Große
und werde später Königin.“

Mara überlegte weiter:
„Wenn die süße Sarah
einen schönen Prinzen heiratet
und fortzieht,
dann bin ICH die Kleine,
und jeder hat mich lieb.“

Mit vielen bunten Farben
malte sie ein großes Bild:
Chiara und den Drachen,
Sarah und ihren Prinzen.
Der König war begeistert:
„Meine Tochter Mara
ist eine große Künstlerin!“
Doch Maras Mama spürte,
dass ihre Tochter Kummer hatte.

„Bist du böse auf Chiara?
Und was ist los mit Sarah?“,
wollte sie wissen.
Da erzählte Mara ihr alles.
Königinmama und Papakönig
berieten sich lange.

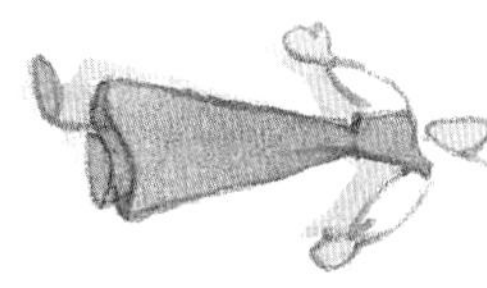

Dann verkündeten sie:
„Unsere Töchter
Chiara, Mara und Sarah
sollen später zu dritt regieren.“
„Hurra!“, jubelten die Menschen.
Und die drei Prinzessinnen
wurden wunderbare Königinnen.
Jede auf ihre Weise.

Die verzauberten Prinzessinnen

Auf dem Dachboden
von Teresas Oma
steht eine alte Truhe.
Sie sieht sehr verlockend aus:
uralt, kostbar
und geheimnisvoll.

„Liebe, liebe Omi“,
bettelt Teresa nun schon
zum hunderttausendsten Mal,
„darf ich endlich
die Zauberkiste öffnen?“
Ihre Freundin Marie ist zu Besuch
und mindestens genauso neugierig
wie Teresa selbst.
Oma sieht die beiden an.

„Na gut“,
sagt sie und schmunzelt.
„Bei euch ist ein Geheimnis
ja gut aufgehoben.“
Zu dritt betreten sie
den Dachboden.
Gemeinsam heben die Mädchen
den Truhendeckel an.
In der Öffnung schimmert es.

„Ein Kleid!“, ruft Marie.
„Eine Krone“, staunt Teresa.
„Und sooo viele
Ketten und Ringe“,
flüstern die Mädchen.
„Eben!“, sagt Oma vergnügt.
„Es muss ja für zwei reichen!

Schließlich sind es auch
zwei Kleider, zwei Kronen
und zwei Paar goldene Schuhe."
Aus ihrem Ärmel zaubert sie
ein silbernes Stöckchen hervor.
„Abrakadabra", murmelt Oma
und tippt die beiden damit an.

„Teresa und Marie –
verwandelt euch!
Auf der Straße seid ihr
ganz normale Mädchen.
Doch hier werdet ihr das,
was ihr wirklich seid:
verzauberte Prinzessinnen!“

Margot Scheffold wurde 1965 in Franken geboren. Seitdem ist sie ganz schön weit herumgekommen. Sie studierte Sprachen, wurde Journalistin und lebte in Spanien, Argentinien und Ägypten. Später war sie mehrere Jahre Fernsehredakteurin in München. Heute lebt sie zusammen mit ihrem Mann als freie Autorin in Luxemburg.

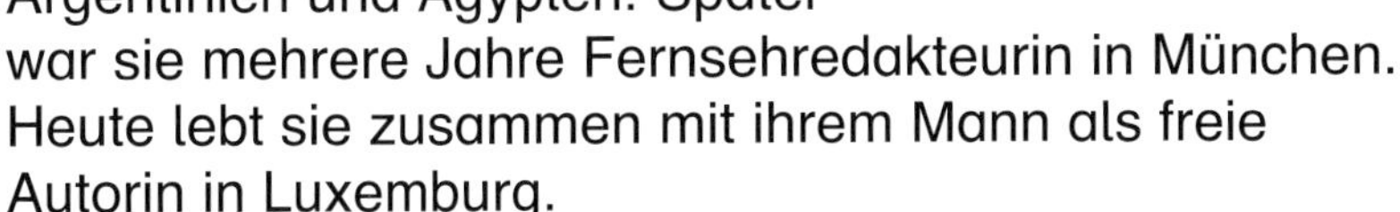

Anette Bley wurde 1967 in der Nähe von Tübingen geboren. Nach dem Abitur studierte sie Grafik und Malerei zunächst in Mannheim und den USA, später an der Akademie der Bildenden Künste in München, wo sie 1996 als Meisterschülerin von Robin Page ihren Abschluss machte. Seit 1990 arbeitet sie als Steinbildhauerin und als Autorin und Illustratorin von Kinder- und Jugendbüchern.

Lesepiraten

Die Lesepiraten bieten viele kurze Geschichten zu einem beliebten Kinderthema. Die klare Textgliederung in Sinnzeilen garantiert ein müheloses Erfassen des Inhalts und ermöglicht auf diese Weise auch weniger geübten Lesern ein schnelles Erfolgserlebnis. Zahlreiche Illustrationen schaffen ausreichend Lesepausen und lassen die Geschichten lebendig werden.

Die 3. Stufe der Loewe Leseleiter